niveau
de lecture
2

Tous lecteurs !

M000035055

# Pyramides

Sally Odgers

traduit par Lucile Galliot

hachette
ÉDUCATION

# Sommaire

hachette s'engage pour l'environnement en réduisant l'empreinte carbone de ses livres. Celle de cet exemplaire est de : **300 g éq. CO₂** Rendez-vous sur www.hachette-durable.fr

PAPIER À BASE DE FIBRES CERTIFIÉES

ISBN : 978-2-01-117537-3

Copyright 2008 © Weldon Owen Pty Ltd.

Pour la présente édition, © Hachette Livre 2010, 58 rue Jean Bleuzen, CS 70007, 92178 Vanves Cedex

L'Égypte est le pays
des pyramides*.
Mais qu'est-ce qu'une
pyramide ? Où peut-on
en trouver ailleurs
dans le monde ?

# Qu'est-ce qu'une pyramide ?

Une pyramide* est
une construction en briques
ou en pierres très ancienne.
Ses faces triangulaires*
se rejoignent à leur sommet.

**une pyramide
au Mexique**

Les pyramides d'Égypte étaient les tombeaux*
des rois et des reines du pays : les pharaons*.
On trouve aussi des pyramides au Mexique
et au Soudan*.

sommet

face triangulaire

# Les pharaons

Les pharaons* ont régné*
sur l'Égypte antique
pendant plus
de 3 000 ans.
Ces puissants rois
étaient considérés
comme des dieux
par les Égyptiens.

La plupart des pharaons étaient
des hommes, mais il y avait aussi
des femmes pharaons.

le roi

la reine

# Au service des dieux

Pour les Égyptiens, les pharaons*
étaient des dieux. Les prêtres
organisaient des cérémonies*
en leur honneur et leur faisaient
des offrandes*.

Les prêtres servaient aussi d'autres dieux
comme Amon-Râ, le dieu du Soleil.

# La construction d'une pyramide

Il fallait des années pour construire une pyramide*. Taillés par des milliers d'hommes, les blocs de pierre étaient ensuite tirés à l'aide de cordes sur des rondins de bois.

Il a fallu de nombreuses années
et des milliers d'ouvriers pour construire
la Grande Pyramide de Gizeh.

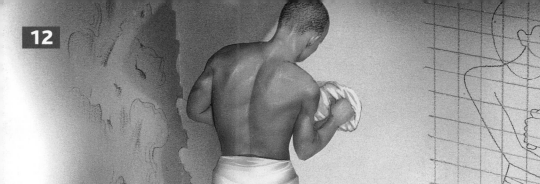

# Les peintures des tombes

Les pyramides* étaient
des tombeaux*. Des artistes
y peignaient des fresques*
qui montraient la vie du défunt*
et ses dieux préférés.

Les artistes utilisaient des peintures très colorées faites à partir de minéraux* réduits en poudre.

# Les pyramides à degrés

La pyramide* de Saqqarah, en Égypte, a quatre faces en forme d'escaliers géants. Cette pyramide a plus de 4 000 ans !

À l'origine, cette pyramide n'avait qu'un seul étage. Les ouvriers en ont ajouté cinq autres, de plus en plus petits.

# La pyramide « ratée »

La pyramide* de Dahchour s'est effondrée* pendant sa construction. Cela explique sa forme étrange.

Les ouvriers voulaient bâtir une pyramide parfaite. Pour cela, ils changèrent l'angle de construction. Mais elle commença à s'écrouler sur elle-même !

# La Grande Pyramide

La Grande Pyramide* se trouve à Gizeh, en Égypte. C'est la plus vieille des trois pyramides principales de ce lieu. Elle date d'environ 4 500 ans.

un conduit d'aération

la chambre du Roi

À l'intérieur de cette pyramide se trouvent des chambres*, des couloirs et des tunnels d'aération. La plus grande chambre est appelée « la chambre du Roi ».

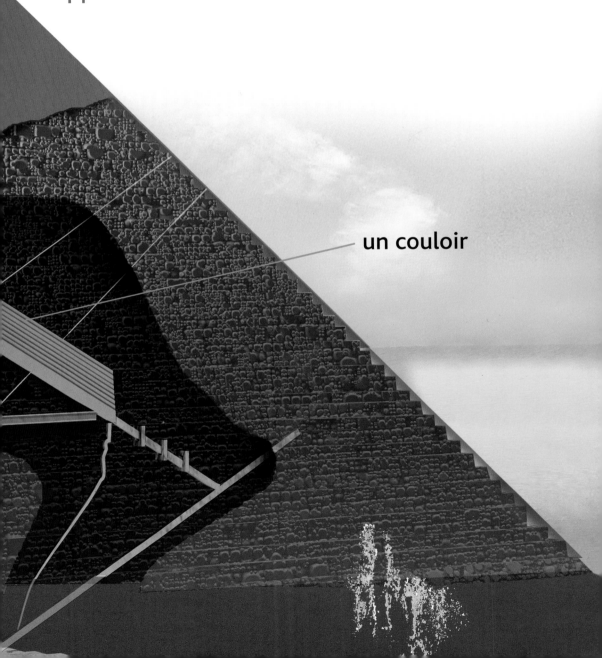

un couloir

# Le Sphinx

Le Sphinx est une énorme statue située près de Gizeh, en Égypte. Il a été sculpté dans un seul bloc de pierre il y a des milliers d'années.

Cette statue a un corps de lion et une tête de pharaon*.

# Le royaume de Méroé

Méroé était une puissante cité*
du Soudan*. Elle fut abandonnée
il y a plus de 1 600 ans.

Toutes ces petites pyramides* sont
des tombeaux* royaux.

# Chichén Itzá

Il y a environ 1 000 ans, Chichén Itzá était une cité* habitée par les Mayas*. Dans cette ville du Mexique, on peut encore voir la célèbre pyramide* à degrés de Kukulkán.

Cette pyramide est surnommée *el Castillo*, « le Château ».

des sculptures mayas à Chichén Itzá

# Teotihuacán

Teotihuacán se trouve au centre du Mexique. C'était une des plus puissantes cités* de l'Antiquité*.

la pyramide du Soleil

Il y avait deux pyramides* principales :
la pyramide du Soleil et la pyramide
de la Lune. Toutes deux possédaient
un temple* à leur sommet.

la pyramide de la Lune

# Aujourd'hui

De nos jours, on continue
à construire des pyramides*.
Ce ne sont plus des tombeaux*
ni des lieux de culte*.
Mais, comme autrefois,
ces pyramides modernes
attirent le regard.

une pyramide
à Las Vegas,
aux États-Unis

La pyramide du Louvre, à Paris, est en verre.

# Quiz

Associe chaque mot à l'image qui lui correspond.

des pharaons

une pyramide maya

la Grande Pyramide

le Sphinx

# Lexique

**l'Antiquité** : une époque de l'histoire, qui se situe après la préhistoire et avant le Moyen Âge.

**une cérémonie** : une fête donnée pour une occasion spéciale.

**une chambre** : une pièce.

**une cité** : une ville ancienne.

**un défunt** : une personne morte.

**s'effondrer** : s'écrouler.

**une fresque** : une peinture réalisée sur un mur.

**un lieu de culte** : un lieu où l'on prie un ou plusieurs dieux.

**les Mayas** : un peuple ayant vécu au Mexique de l'Antiquité au Moyen Âge.

**un minéral** : un matériau qui vient de l'intérieur de la Terre.

**une offrande** : un cadeau offert à un dieu ou à un roi.

**un pharaon** : un roi ou une reine de l'Égypte antique.

**une pyramide** : un bâtiment triangulaire souvent construit en briques ou en pierres.

**régner** : gouverner un pays quand on est roi.

**le Soudan** : un pays d'Afrique à côté de l'Égypte.

**un temple** : un bâtiment où l'on prie un ou plusieurs dieux.

**un tombeau** : un lieu où sont enterrés un ou plusieurs morts.

**triangulaire** : en forme de triangle.

Crédits photographiques : 14-15, 20-21, 25, 28 : Shutterstock ;
16-17, 22-23 : Photolibrary.com ; 24, 29 : iStock
Mise en pages : Cyrille de Swetschin

Imprimé en France par Imprimerie CHIRAT - 42540 Saint-Just-la-Pendue - N° 201606.0022
Dépôt légal : Juin 2016 - Collection n° 36 - Édition 05 - 11/7537/1